D1635325

A B C D E F G H I J K L M N O P Q R S T U
H I J K L M N O P Q R S T U
N O P Q R S T U V W X Y Z A B
U V W X Y Z A B C D E F G H I
A B C D E F G H I J K L M N O
H I J K L M N O P Q R S T U V
O P Q R S T U V W X Y Z A B C
U V W X Y Z A B C D E F G H I J
D E F G H I J K L M N O P Q R
K L M N O P Q R S T U V W X Y
R S T U V W X Y Z A B C D E F
X Y Z A B C D E F G H I J K L M
E F G H I J K L M N O P Q R S
L M N   P Q R S T U V W X Y Z
S T U V W X Y Z A B C D E F G H
Z A B C D E F G H I J K L M N O
H I J K L M N O P Q R S T U V
O P Q R S T U V W X Y Z A B C
V W X Y Z A B C D E F G H I J K
D E F G H I J K L M N O P Q R

V W X Y Z A B C D E F
Y Z A B C D E F G H I J K L
F G H I J K L M N O P Q R S T
M N O P Q R S T U V W X Y Z
S T U V W X Y Z A B C D E F G
Y Z A B C D E F G H I J K L M
F G H I J K L M N O P Q R S T
M N O P Q R S T U V W X Y Z A B
T U V W X Y Z A B C D E F G H I
B C D E F G H I J K L M N O P
I J K L M N O P Q R S T U V
P Q R S T U V W X Y Z A B C D
V W X Y Z A B C D E F G H I J K
D E F G H I J K L M N O P Q R
K L M N O P Q R S T U V W X Y
R S T U V W X Y Z A B C D E F G
Y Z A B C D E F G H I J K L M N
G H I J K L M N O P Q R S T U
N O P Q R S T U V W X Y Z A B C
U V W X Y Z A B C D E F G H I J K

ISBN 978-2-211-22735-3
Première édition dans la collection *les lutins* : février 2016
© 2016, l'école des loisirs, Paris, pour l'édition *les lutins*
© 2012, kaléidoscope, Paris
Loi numéro 49956 du 16 juillet 1949 sur les publications
destinées à la jeunesse : septembre 2012
Dépôt légal : février 2018
Imprimé en France par Clerc SAS à Saint-Amand-Montrond

MICH ËL **ESCOFFIER**

KRIS **DI GI COMO**

les lutins de l'école des loisirs
11, rue de Sèvres, Paris 6ᵉ

SANS LE

LA CAROTTE FAIT CROTTE.

SANS LE B

LE **BŒUF**

FAIT L'**ŒUF**.

SANS LE C

MES **CRAYONS** SONT DES **RAYONS**.

SANS LE

MON DENTIER
N'EST PAS ENTIER.

SANS LE E

MON GENOU
CROISE UN GNOU.

SANS LE

MES **MOUFLES** SONT DES **MOULES.**

SANS LE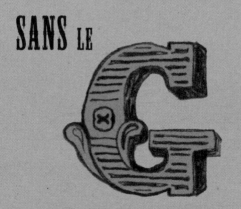

L'AIGLE
BAT DE L'AILE.

SANS LE

LES **CHOUETTES**
ONT DES **COUETTES.**

SANS LE

MA **VALISE**
DANSE LA **VALSE.**

SANS LE J

JE SAUTE DE **JOIE**
COMME UNE **OIE**.

SANS LE K

SANS LE

LE POULET FAIT POUET !

SANS LE

CAMILLE EST UNE CAILLE.

SANS LE

L'ORANGE
A PEUR DE L'ORAGE.

SANS LE

LE GORILLE

RESTE DERRIÈRE LA GRILLE.

MON **POTAGE**
EST PRIS EN **OTAGE.**

SANS LE

LA MOQUETTE
SENT LA MOUETTE.

SANS LE

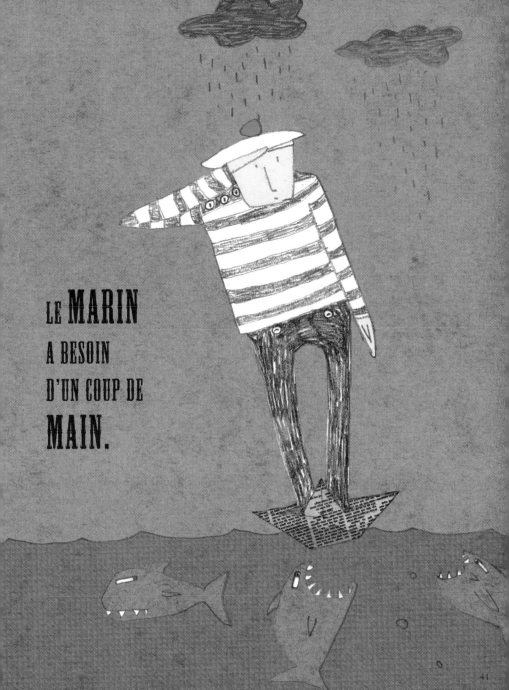

LE **MARIN**
A BESOIN
D'UN COUP DE
MAIN.

SANS LE S

LA ROUTE FAIT LA ROUE.

SANS LE

LA **MOUCHE**
EST **MOCHE.**

LE **VEAU** TOMBE À L'**EAU**.

SANS LE W

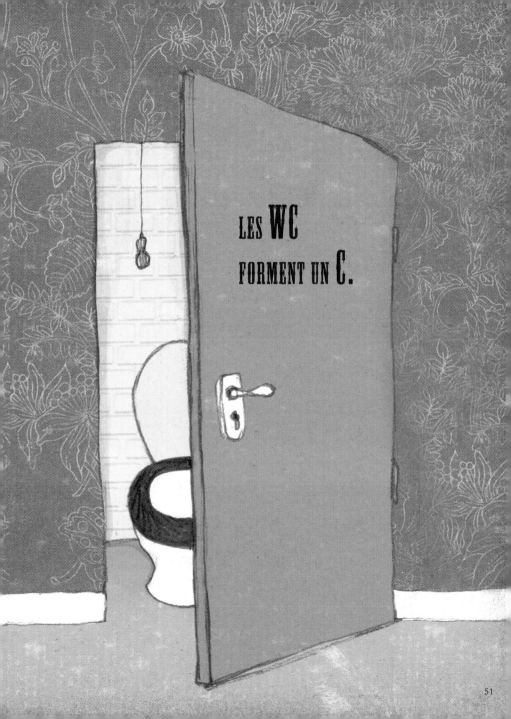

LES **WC**
FORMENT UN **C.**

SANS LE X

MON INDEX PART EN INDE.

SANS LE

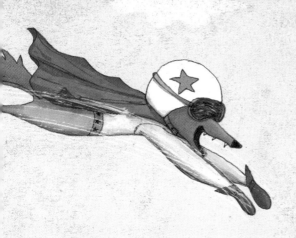

LE **CANYON** RÉSONNE
COMME UN **CANON**.

SANS LE

L'ALPHABET N'EST PAS COMPLET.

CAMILLE

BŒUF

CAROTTE

MOUFLES

GO

ROUTE SIR

KÉPI IND

VEA

VALISE A

MOUFL

MOUCHE POT

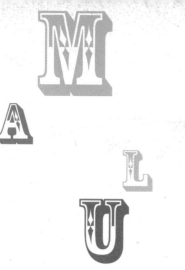

B C D E F G H I J

H I J K L M N O P Q R S T U

N O P Q R S T U V W X Y Z A B C

U V W X Y Z A B C D E F G H I J

A B C D E F G H I J K L M N O

H I J K L M N O P Q R S T U V

O P Q R S T U V W X Y Z A B C

U V W X Y Z A B C D E F G H I J

D E F G H I J K L M N O P Q

K L M N O P Q R S T U V W X Y

O R S T U V W X Y Z A B C D E F

X Y Z A B C D E F G H I J K L M

E F G H I J K L M N O P Q R S

L M N   P Q R S T U V W X Y Z

S T U V W X Y Z A B C D E F G H

Z A B C D E F G H I J K L M N O

H I J K L M N O P Q R S T U V

O P Q R S T U V W X Y Z A B C

V W X Y Z A B C D E F G H I J K

D E F G H I J K L M N O P Q R